Bon anniversaire, Gafi !

Arturo Blum • Mérel

Rachid le timide

Mélanie la chipie

Pacha le chat

Pascale la géniale

Arthur le gros dur

ES-tu prêt pour
une nouvelle aventure ?
Eh bien, commençons !

Ah, j'y pense!
les mots suivis
d'un ☼ sont
expliqués à la fin
de l'histoire.

- 1 -

Demain, Gafi a 800 ans !
Arthur, Pascale, Rachid
et Mélanie aimeraient lui
préparer une grande surprise.

Mélanie dit en riant :

– On pourrait lui offrir de la lessive avec de l'assouplissant ! Comme ça, il sera bien blanc et il aura la peau toute douce.

Arthur, le gros dur, a aussi une idée :
– On pourrait lui offrir une ceinture

noire de judo ! Comme ça, il sera
le plus fort de tous les fantômes.

– Et si on lui faisait un super gâteau
d'anniversaire ? propose Pascale.
– D'accord, répond Rachid. Mais
pour mettre 800 bougies dessus,
il faut qu'il soit énorme !

Les enfants pourront-ils
préparer un gâteau aussi gros ?

Bon anniversaire, Gafi !

– Chut ! souffle Mélanie, Gafi arrive !
   Pascale parle à voix basse
à ses camarades. Gafi voit les enfants
qui chuchotent. « Ils ne veulent pas
que j'entende, pense Gafi. Qu'est-ce que
j'ai encore fait ? »

Bon anniversaire, Gafi !

Puis, sans un regard pour le fantôme,
les enfants rentrent chez eux
en courant. Comme il est triste,
notre Gafi !

Tu veux connaître
la suite de l'histoire ?
Alors, suis-moi...

Le lendemain matin, Arthur, Rachid et Mélanie se lèvent de bonne heure. Ils se retrouvent chez Pascale.

Les enfants font chacun un gâteau.

Puis, hop ! ils mettent les quatre
gâteaux les uns sur les autres.

Et voilà, ils ont un énorme gâteau !
Vite, ils posent 800 bougies dessus,
et ils appellent :
– GAFI !!! GAFI !!!

Le fantôme surgit.

Et là, quelle surprise ! Il découvre une pièce montée...

... et les enfants qui sourient,
l'air coquin. Gafi est si ému
qu'il pleure de joie !

– Si tu continues à pleurer, Gafi,
ton gâteau va fondre et les bougies
vont s'éteindre, dit gentiment Pascale.

Gafi sourit, se mouche, s'essuie
le nez…

Gafi va-t-il pouvoir souffler
les 8oo bougies ?

ATCHOUM ! Gafi éternue… et souffle
ses 800 bougies d'un seul coup !

– Bravo Gafi ! disent les enfants.
Et ils applaudissent.

Et, tous en chœur, ils s'écrient :
« Bon anniversaire ! »

c'est fini !

Certains mots sont peut-être difficiles à comprendre. Je vais t'aider !

Assouplissant : L'assouplissant est un produit qui rend le linge plus souple, plus doux. Ainsi, Gafi serait tout doux !

Ceinture noire de judo : La couleur de la ceinture de judo indique le niveau des élèves. Les débutants mettent une ceinture blanche et les élèves d'un niveau plus élevé portent une ceinture noire. Gafi serait donc très fort !

Pièce montée : C'est une grosse pâtisserie préparée avec beaucoup de gâteaux posés les uns sur les autres. Gafi est content, car il est très gourmand !

AS-tu aimé mon histoire ? Jouons ensemble, maintenant !

Il y a trop de bougies !

Peux-tu aider Gafi à retrouver ses bougies ?
Combien y a-t-il de bougies rouges, de bougies bleues, de bougies vertes ?

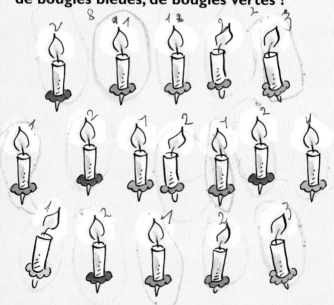

Réponse : il y a 7 bougies rouges, 4 bougies bleues, 6 bougies vertes.

Histoire à inventer

À toi de remplacer les dessins par les bons mots !

Les  *enfants* vont faire

un *cadeau* 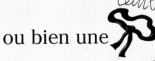 à Gafi.

C'est peut-être de la *lessive*

ou bien une *ceinture noire* de judo ?

Devant la  *patisserie*, Pascale

décide de préparer un 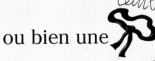 *gâteau*

avec ses amis.

Le mot caché !

**Découvre le mot caché dans cette phrase.
Pour cela, repère les lettres soulignées
et mets-les dans le bon ordre :**

Pa<u>s</u>cale a

une idée gén<u>i</u>ale :

p<u>r</u>éparer <u>u</u>n gâteau

<u>p</u>ou<u>r</u> l'anniver<u>s</u>aire

de Gafi.

Réponse : le mot caché est « surprise »

Les jumeaux

Deux gâteaux sont identiques.
Lesquels ?

Dans la même collection
Illustrée par Mérel

Directeur de collection et conseil pédagogique :
Alain Bentolila

© Éditions Nathan (Paris-France), 2005
Conforme à la loi n°49956 du 16 juillet 1949
sur les publications destinées à la jeunesse
ISBN 209250714-1
N° éditeur : 10120889 - Dépôt légal : août 2005
Imprimé en Italie par Stige